COLLECTION
CROQUEMITAINE

Ces histoires s'adressent aux jeunes lecteurs, tout particulièrement aux enfants de première et de deuxième année, qui font l'apprentissage de la lecture.

Comment les livres de cette collection aident-ils l'enfant à développer son habileté à lire ?

- Sans être trop terrifiantes, ces histoires insolites tiennent le lecteur en haleine.
- Les phrases sont courtes.
- Les mots utilisés sont simples et reviennent souvent dans le récit.
- Les gros caractères et les lignes espacées facilitent la lecture.
- Les illustrations en couleurs aident l'enfant à comprendre les mots utilisés dans le texte.

Lorsque l'enfant aura lu ce livre, il voudra en lire un autre !

À Willie et Cornelia.
J.O'C.

À John Wagner
pour son aide et son amitié.
B.K.

Données de catalogage avant publication (Canada)

O'Connor, Jane

Trois histoires à faire peur

(Croquemitaine)
Traduction de : Eek! Stories to Make You Shriek.
Pour les jeunes de 7 à 9 ans.

ISBN 2-7625-8640-2

I. Favreau, Marie-Claude. II. Titre. III. Collection.

PZ23.O26Tr 1997   j813'.54   C97-940252-2

Eek! Stories to Make you Shriek
Texte copyright © 1992 Jane O'Connor
Illustrations copyright © 1992 Brian Karas
Publié par Grosset & Dunlap

Version française
© Les éditions Héritage inc. 1997
Tous droits réservés

Dépôts légaux : 2e trimestre 1997
Bibliothèque nationale du Québec
Bibliothèque nationale du Canada

ISBN : 2-7625-8640-2

Imprimé au Canada

LES ÉDITIONS HÉRITAGE INC.
300, rue Arran, Saint-Lambert (Québec) J4R 1K5
Téléphone : (514) 875-0327
Télécopieur : (514) 672-5448
Courrier électronique : heritage@mlink.net

04233 4927

COLLECTION
CROQUEMITAINE

Trois histoires à faire peur

Texte de Jane O'Connor
Illustrations de Brian Karas
Texte français de Marie-Claude Favreau

Héritage
jeunesse

Table des matières

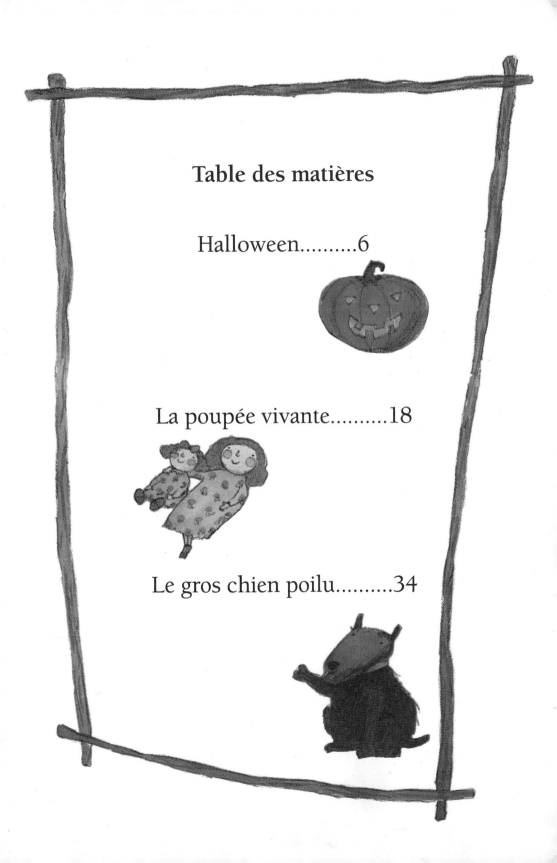

Halloween

C'est l'Halloween.

Maxime attend son ami Alex,

car ils vont ensemble à une fête.

Maxime a déjà enfilé son costume.

Il porte un pantalon

et un chandail blancs,

une ceinture et un bandeau noirs.

Il est déguisé en karatéka.

— N'oublie pas de mettre ton manteau,
lui dit sa mère.

Maxime fait la grimace.

— Voyons, maman, as-tu déjà vu
un karatéka en manteau ?

Mais la mère de Maxime reste ferme.

— Il fait froid. Si tu ne mets pas ton
manteau, tu ne vas pas à la fête.

Maxime grimace de nouveau,
mais il enfile son manteau.

Puis il sort pour attendre Alex.

Dehors, il fait noir.

L'ombre menaçante des arbres

se découpe sur le trottoir.

Maxime a hâte qu'Alex arrive.

Enfin, il l'aperçoit au bout de la rue.

Alex est déguisé en monstre.

Il porte un costume brun tout poilu et un superbe masque. Il a même des griffes.

— Ton costume est fantastique ! s'écrie Maxime.

— Gronk, se contente de répondre Alex. Puis ils se mettent en route.

La fête est très réussie.

On joue à la pêche aux pommes

et on mange de la pizza.

Puis on choisit le plus beau
déguisement.

C'est Alex qui gagne.

En recevant son prix, il fait
simplement « Gronk ! ».

Le prix est un grand sac de friandises.

Sur le chemin du retour,

Alex mange tous ses bonbons.

À la fin, il fait un rot bruyant.

— Super ! fait Maxime, impressionné.

— Gronk ! répond Alex.

Arrivé chez lui, Maxime dit au revoir
à son ami.

Le lendemain, en partant pour l'école,

Maxime passe prendre Alex.

C'est la mère d'Alex qui répond à la porte.

— Alex est malade, dit-elle.

Maxime est déçu.

— Ce doit être à cause de tous les bonbons

qu'il a mangés à la fête, dit-il.

Très étonnée, la maman d'Alex répond :

— La fête ? Alex n'y est pas allé.

Il a été malade toute la soirée !

Mais alors, qui était le monstre ?

La poupée vivante

Sarah obtient toujours tout ce qu'elle veut.
Si elle désire se coucher tard, sa mère
la laisse faire.

Si elle veut se bourrer
de crème glacée,
sa mère la laisse faire.

Sarah n'a qu'à dire :« Je veux ça. »
Et elle a tous les jouets qu'elle
désire.

Un jour, en passant devant une boutique,
Sarah remarque dans la vitrine
deux jolies poupées : une maman
et sa petite fille.

La petite poupée a des cheveux blonds
et un beau sourire.

— Je la veux, dit Sarah.

Et elle entraîne sa mère dans la boutique.

— Combien coûte cette petite poupée ?
demande Sarah à la vendeuse.

La dame sourit et répond :

— Les deux poupées sont vendues ensemble.
Elles coûtent 50 $.

Sarah fait une scène et crie :

— Je ne veux pas la maman, je veux
seulement la petite !

La mère de Sarah paie la vendeuse.

— Voici l'argent. Mais nous ne prenons
que la petite poupée.

Sarah emporte sa nouvelle poupée
à la maison.

Elle la sort de la boîte.

Il lui semble qu'elle a un air différent.

C'est sûrement son imagination
qui lui joue des tours !

Sarah pose ensuite la poupée
près de son lit.

Pendant la nuit, Sarah se réveille en sursaut.

Quelqu'un crie « MAMAN ! ».

C'est la nouvelle poupée !

Pourtant, la vendeuse n'a pas dit que

c'était une poupée qui parle.

Sarah doit rêver !

Oh ! on dirait que la poupée est fâchée,

à présent !

Sarah a peur.

Sarah appelle sa mère et
se cache sous les couvertures.

— Que se passe-t-il, ma poulette ?
demande sa mère.

— Ma poupée ! Elle criait ! Elle
avait l'air fâchée ! répond Sarah.

— Elle m'a l'air tout à fait normale,
dit sa mère.

Sarah regarde sa poupée.

La poupée sourit.

Sarah la secoue.

Mais la poupée ne dit pas « Maman ».

Elle reste silencieuse.

— Tu as dû faire un cauchemar.
Retourne te coucher. Tout va
bien, dit sa mère.

MAMAN! MAMAN!

MAMAN!

Alors Sarah se rendort.

Mais bientôt, elle se réveille de

nouveau.

Quelqu'un lui touche l'épaule.

C'est la poupée !

Elle est dans le lit de Sarah !

Comment est-elle montée là ?

« MAMAN ! JE VEUX MA MAMAN !

crie la poupée. REMPORTE-MOI

AU MAGASIN ! »

Sarah fait oui de la tête.

Elle a si peur que les mots

restent pris dans sa gorge.

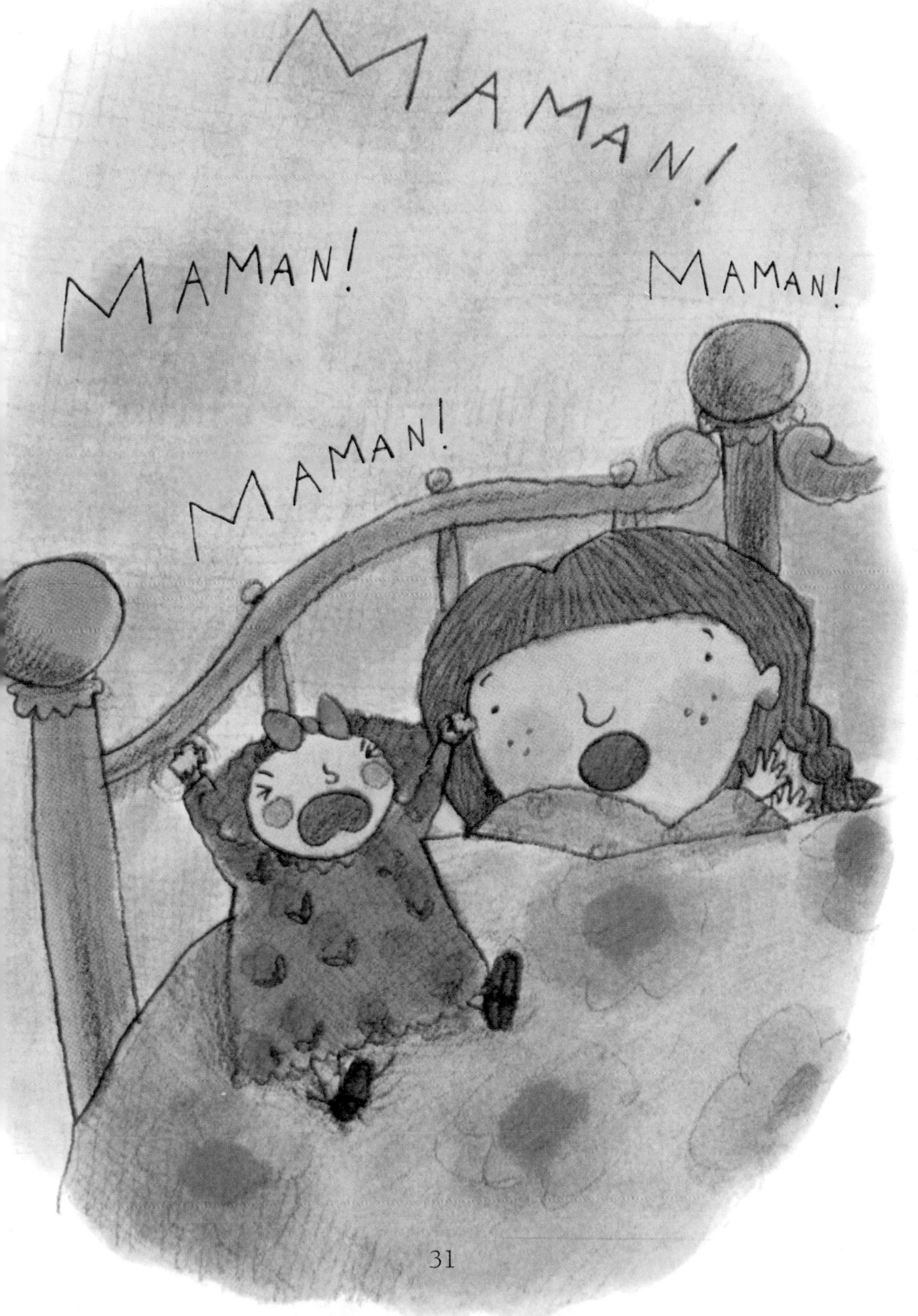
MAMAN!
MAMAN!
MAMAN!
MAMAN!

Le lendemain, Sarah
remporte la poupée à la
boutique.
La dame replace la poupée
dans la vitrine, à côté de
la maman poupée.

Une seule fois, Sarah se retourne.

Pas de doute...

La poupée a retrouvé son sourire.

Le gros
chien poilu

Les Dumoulin emménagent
dans leur nouvelle maison.
C'est une grande maison,
car la famille est grande.

Papa gare le camion.
Maman donne aux enfants
des boîtes à entrer dans la
maison.

— Je n'aime pas les
maisons vides, dit-elle.

Mais la maison n'est pas vide.
En ouvrant la porte, les Dumoulin
sont accueillis par un chien.
Un gros chien noir, tout poilu.

— Ouaf ! aboie le chien.

Puis il lève la patte.

Les Dumoulin rigolent.

— Oh ! font les enfants. Un chien
est offert avec la maison ! Est-ce
qu'on peut le garder ?

Papa répond :

— Non. Ce chien a sûrement un maître.

N'est-ce pas, mon gros ?

Le chien aboie de nouveau.
Puis il trottine vers un tableau
accroché au mur.

— Il essaie de nous dire
quelque chose, dit la maman.

Le tableau représente un chien et un garçon.

Le garçon lance un bâton au chien.

Le chien essaie de l'attraper.

Mais que veut dire le gros chien poilu ?

Serait-il perdu ?

Appartient-il à la famille qui habitait

cette maison avant ?

Le tableau appartient-il aussi à cette famille ?

Les Dumoulin n'en savent rien.

Papa emporte le tableau et le chien au garage.

Là, il fait un lit pour le chien.

— Tu passeras la nuit ici, et demain nous partirons à la recherche de tes maîtres.

Pendant la soirée, un orage éclate.

Le gros chien poilu vient japper à la

porte arrière.

« Ouaf ! Ouaf ! »

— Non, tu n'entres pas ! dit maman.

Tu es trop sale. Je te ramène au garage.

Le lendemain matin, l'orage est fini.

— Allez donc donner un bain au chien
dans la cour, dit maman aux enfants.
Ensuite on l'emmènera au poste de
police.

Mais quand les enfants entrent dans
le garage, ils ne trouvent pas le chien.

La porte est restée fermée toute la nuit.

Comment a-t-il pu sortir ?

Les enfants inspectent la cour.

— Ici, chien ! crient-ils.

Mais le chien ne vient pas.

Il est peut-être dans la rue ?

Non.

Il est peut-être dans la maison ?

Non.

C'est alors qu'ils entendent des aboiements.

De gros aboiements provenant du garage !

Les enfants y courent en criant :

— Tu étais caché !

Mais non, il n'y a pas de chien

dans le garage. Il n'y a que des

boîtes et le vieux tableau.

Soudain, les enfants sont stupéfaits.

Ils n'en croient pas leurs yeux.

Il y a maintenant deux chiens dans le tableau !

Ils jouent avec le bâton.

Le nouveau chien est gros, noir et poilu.

Que s'est-il passé ?

Personne ne l'a jamais su.

Mais on n'a jamais revu

le gros chien poilu.